Le Bonheur en 100 photos

Méthode Méditerranéenne

Editions Sky Comm

SKY COMM

VOUS ALLEZ PRENDRE DE LA HAUTEUR !

Photos : Jacques Boussaroque – www.boussaroque.com
A l'exception de la photo supérieure de la couverture (Valérie Koch (Vekha) © Fotolia) et de :
P 15 © Royer / wallis.fr
P 57 © Lanthiez / wallis.fr
P 133 © Descamps / wallis.fr
P 173 © Royer / wallis.fr

Et si s'arrêter un instant pour prendre le temps, le temps de ralentir, le temps de regarder un paysage, de s'en émerveiller, de se laisser imprégner puis transformer par la Beauté offerte à nos regards, ne constituait pas ce qu'on appelle un moment de grâce ?

Moments magiques qui ne s'offrent pas à nous spontanément, mais moments voulus au plus fort de notre être intérieur, moments désirés et révélés par la seule attention du regard.

Puisse chaque lecteur vivre cette attitude de contemplation grâce à ces quelques images saisies par le regard attentif de notre ami et photographe, Jacques Boussaroque.

Puisse enfin cette contemplation associée à ces quelques pensées amener le lecteur à un certain état de grâce, à une certaine forme de bonheur.

Editions Sky Comm

SKY COMM
VOUS ALLEZ PRENDRE DE LA HAUTEUR !

Prendre le temps de

contempler

04

06

Calanque de Sormiou

08

10

Se croire

seul

au monde

12

14

17

18

Sans cesse, se réjouir

26

28

Aller

au delà de ses

rêves

30

36

S'émerveiller

et

ne rien dire

42

44

Calanque de Sormiou

50

52

54

Vivre de rien

58

60

Redevenir

enfant

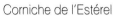

68

70

Avoir soif d'infini

Avoir soif d'infini

Avoir soif d'infini

Avoir soif d'infini

74

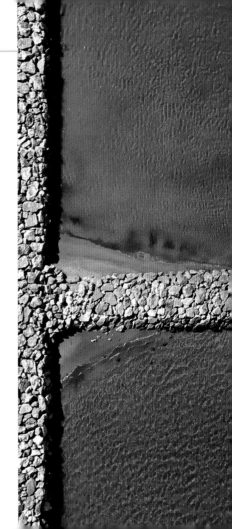

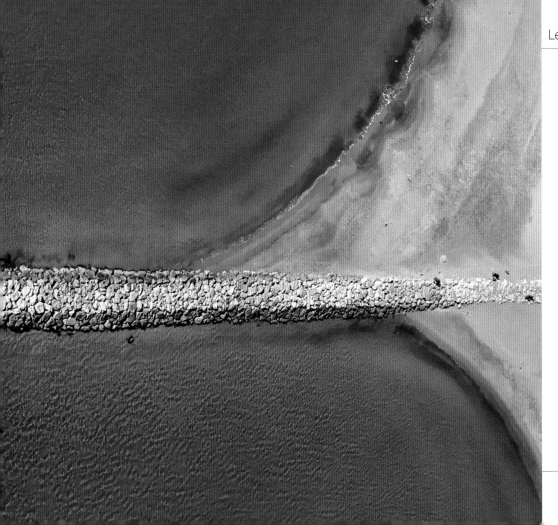

page suivante : Cap Taillat

82

Sans cesse,

chanter que la vie est belle

85

86

Sanary

90

Calanque de Morgiou

93

Etre riche de ne rien posséder

94

98

Calanque de Sormiou

100

102

Nager *dans le* bonheur

page suivante : Beauduc

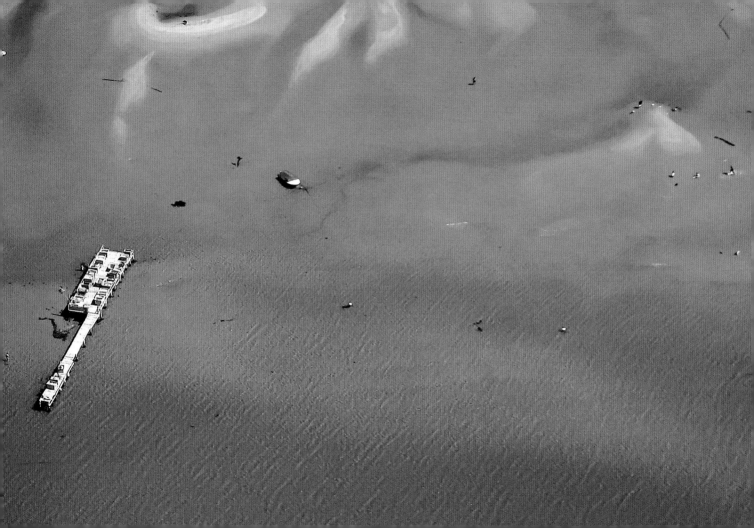

108

Le Gros Sarranier, Porquerolles

113

114

Grâce à la beauté,

aimer le monde

118

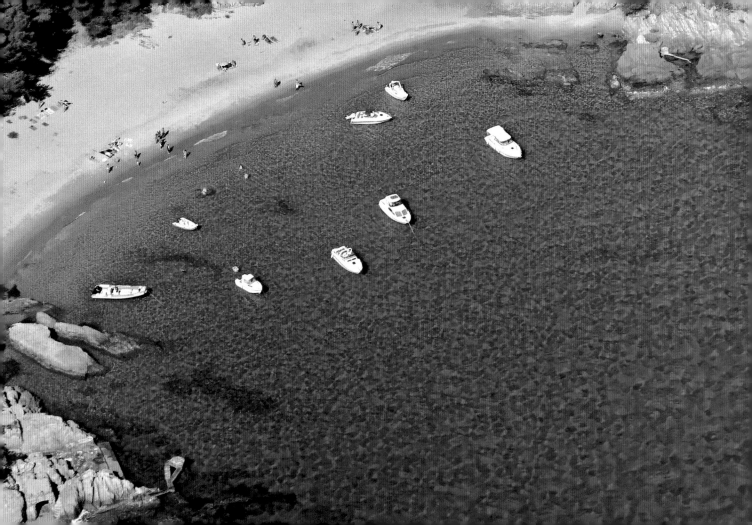

Corniche des Maures

120

Le Frioul, Ile Ratonneau

123

124

128

Cap Taillat

131

Lâcher prise

134

La pointe du Grand-Langoustier, Porquerolles

137

138

Prendre le temps de ne rien faire

142

Calanque de Sormiou

144

page suivante : Baie de la Moutte

148

Ne plus rêver sa vie,

mais vivre ses rêves

150

153

154

Brégançon

156

Voir comme le monde est beau

158

page suivante : Baie de Briande

162

164

168

Vivre un moment

d'éternité

172

174

176

178

180

Plonger

dans ses rêves

182

page suivante : Baie de Bonporteau

188

Rendre grâce

pour tant de merveilles

190

192

page suivante : Cap Taillat

196

198

202

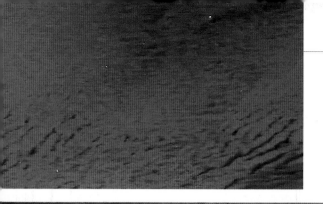

« La Beauté sauvera le monde » (Dostoïevski).

Telle est la pensée qui pousse Jacques Boussaroque à la recherche des plus beaux paysages que recèlent la Provence ou le désert.

Il ne croit pas que ses images « sauveront le monde », mais il espère que celles-ci susciteront une certaine émotion auprès de ses lecteurs, et que cette émotion permettra à chacun de s'élever, d'apprendre à voir la beauté, puis le Beau.

La photographie se révèle pour lui un chemin vers la contemplation et la Beauté de la nature, un moyen d'accès à la Beauté intérieure.

Sa plus grande satisfaction serait de savoir que ce chemin de contemplation est partagé par ses lecteurs.

Du même auteur :

> Aux Editions Sky Comm :

La Provence en 365 photos
La Provence côté mer
La Provence côté terre
Carnet d'Adresses - Provence

> Aux Editions Ouest-France

Notre-Dame de la Garde (participation)

ISBN : 978-2-917193-00-6

Dépôt légal : Juin 2008

Imprimé en Chine

Editions Sky Comm
2050 Avenue Jean Monnet
83190 Ollioules
Tel : 04 94 62 27 85
www.skycomm.fr

Réalisation graphique
Agence Kyrriel
Rés. les Moulins
40 chemin de la Baume
83190 Ollioules
Tel : 04 94 63 47 26
www.kyrriel.fr